CW00692907

1

Le B.a.-ba de la diététique pour l'angine de poitrine

MENARD Cédric
DIETETICIEN-NUTRITIONNISTE
Diplômes d'Etat français

Merci infiniment d'avoir acheté cet ouvrage

© 2020, Cédric Menard

Edition : BoD - Books on Demand
12/14 rond-point des Champs Elysées, 75008 Paris
Imprimé par Books on Demand GmbH, Norderstedt, Allemagne
ISBN : 9782322203819
Dépôt légal : janvier 2020

Articles L122-4 et L-122-5 : toutes reproductions écrites, toutes impressions, toutes mises en ligne sur Internet d'une ou plusieurs pages de cet ouvrage, à usage à titre professionnel ou privé, est strictement interdit sans accord de l'auteur, conformément à la législation en vigueur, le cas échéant, des poursuites pénales seront engagés contre tous contrevenants.
Crédit photo de la couverture : fotolia.com

Bonjour et merci infiniment de votre confiance.

Vous avez acheté cet ouvrage afin de vous accompagner sur un plan diététique votre angine de poitrine, et sachez que j'ai tout fait, dans l'écriture de celui-ci, pour vous apporter un maximum de confort et de réconfort sur le plan diététique, mais également de satisfaction.

Je m'appelle MENARD Cédric, et je suis diététicien-nutritionniste diplômé d'Etat. J'ai effectué une partie de mes études de diététique au sein de l'hôpital psychiatrique de Picauville, ainsi qu'aux services de néphrologie et de gastro-entérologie au C.H.U de Rennes. Une fois diplômé, je me suis installé comme diététicien-nutritionniste en profession libérale en 2008. J'ai profité de mes premiers mois d'installation pour me spécialiser en micro-nutrition, et fus diplômé du Collège Européen Nutrition Traitement Obésité (CENTO) en 2009.

Attention : cet ouvrage n'est pas adapté à de quelconques intolérances ou allergies alimentaires : il vous appartiendra donc d'être vigilant(e) dans l'application des conseils diététiques de proposés, et d'y faire, le cas échéant, une sélection alimentaire appropriée, notamment, par exemple, en cas d'intolérance au lactose.

Mes autres ouvrages traitants de la diététique fondamentale à mettre en pratique avec une angine de poitrine (ou angor) :

« Quelle alimentation pour l'angine de poitrine ? »
« Recettes et menus pour l'angine de poitrine »
« Dictionnaire alimentaire de l'angine de poitrine »
« Menus de printemps pour l'angine de poitrine »
« Menus d'été pour l'angine de poitrine »
« Menus d'automne pour l'angine de poitrine »
« Menus d'hiver pour l'angine de poitrine »

Mon site Internet : **www.cedricmenarddieteticien.com**
Mon numéro de certification professionnelle **ADELI**, enregistré auprès de la DDASS : 509500435.

Sommaire

L'angine de poitrine

L'angine de poitrine correspond à un accident cardiaque douloureux, bref, angoissant avec sensation de constriction thoracique et d'impression de mort imminente. **Le traitement diététique faisant suite à une angine de poitrine, correspond à celui de l'athérosclérose** (accompagné de quelques points supplémentaires). Il s'agit en fait de suivre un régime alimentaire **pauvre en cholestérol**, visant à lutter directement contre le développement de l'athérosclérose.

Le cholestérol

Le cholestérol est un lipide, dont les sources alimentaires sont **uniquement animales**. Les végétaux **ne savent pas** synthétiser le cholestérol. Le cholestérol est apporté par notre alimentation (matières grasses alimentaires d'origine animale), et par notre propre organisme qui en produit naturellement. En effet, celui-ci **est synthétisé par tous nos tissus** (environ un gramme par jour en conditions normales). C'est le foie et certaines glandes endocrines qui en produisent le plus. Dans les conditions normales, cette production de cholestérol satisfait les besoins de l'organisme. Dès lors que les besoins sont couverts, la production cesse. Malheureusement, il est fréquent de rencontrer un défaut dans ce processus d'auto-inhibition, et dans ce cas, trop de cholestérol se retrouve alors produit par l'organisme. Cette anomalie est héréditaire, le médecin prescrit alors, en général, des statines pour freiner cette surproduction. Le cholestérol est **indispensable** au bon fonctionnement de l'organisme. Il entre dans la synthèse des membranes de toutes nos cellules, c'est un élément fondamental de certaines hormones, et de la vitamine D3 (vitamine synthétisée sous notre peau sous l'action des UV). Il entre également dans la synthèse des sels biliaires. Le plus gros problème avec le cholestérol **en excès**, c'est que celui-ci ne cesse de circuler dans le sang, et il risque à terme, de boucher les artères : c'est l'athérome, responsable de l'**athérosclérose**. En effet, l'organisme **ne possède pas d'organe de stockage** pour le cholestérol en excès. Il existe deux formes principales de cholestérol circulant dans le sang : le **HDL-Cholestérol** et le **LDL-Cholestérol**, le cholestérol étant incapable de circuler tout seul dans le sang.

Le **LDL-Cholestérol** est aussi appelé le « **mauvais cholestérol** ». En effet, **son excès dans le sang** favorise l'apparition des plaques d'athérome au sein de certaines artères, entraînant l'**athérosclérose**. Dès lors que cette pathologie atteint une artère coronaire et la bouche de façon **transitoire** : **c'est l'angine de poitrine**. La production de ce LDL-Cholestérol est assurée par **le foie**. La consommation alimentaire **d'acides gras dits « saturés » en excès**, associée à un excès sanguin de LDL-Cholestérol, **favorise fortement** l'**athérosclérose**. Les sources alimentaires en acides gras saturés sont, comme pour le cholestérol, surtout **des graisses animales** : gras des viandes, beurre, crème fraîche, fromages affinés... mais également **certaines sources végétales** que sont l'huile de palme et l'huile de coprah. La sédentarité, l'obésité, le surpoids, la consommation de sucre « rapide » et de produits sucrés en excès, une mauvaise alimentation générale, **favorisent très fortement** la production du LDL-Cholestérol.

Le **HDL-Cholestérol** est également appelé le « **bon cholestérol** », car son rôle est **d'épurer le sang** du LDL-Cholestérol, notamment en excès. L'excès de HDL-Cholestérol est aussi désigné, en médecine, comme **un facteur de longévité** ! Ce qui en dit long... Le **HDL-Cholestérol** est également produit par le foie. Il circule dans le sang et **piège** le LDL-Cholestérol qu'il trouve sur son passage, puis retourne au foie en vue de leur élimination de l'organisme par voie fécale. L'activité physique régulière, l'absence de surpoids ou d'obésité, la faible consommation de sucre « rapide » et de produits sucrés, une bonne alimentation générale, **favorisent très fortement** la production hépatique du HDL-Cholestérol.

Les matières grasses **les plus riches** en acides gras
« **saturés** » **sont solides à la température ambiante** :
graisses animales, saindoux, beurre, crème fraîche, huile de
palme, huile de coprah...

Les matières grasses **les plus riches** en acides gras
« **insaturés** » **sont liquides à température ambiante**, il
s'agit des huiles végétales qui sont toutes presque **totalement
dépourvues** de cholestérol...

Les oméga 3 (acides gras polyinsaturés), jouent un rôle très
important au regard de l'athérosclérose, dont ils limitent
fortement le développement. **Ils seront donc très
importants dans votre alimentation**. Les sources
alimentaires les plus importantes sont les noix, certains poissons
gras... Les autres acides gras insaturés jouent le même rôle
(oméga 6 et 9)... Les **flavonoïdes** (fruits et légumes verts)
jouent un rôle similaire, essentiel dans le cadre d'une
hypercholestérolémie.

La **vitamine E** est également une vitamine très importante dans
le cadre de l'athérosclérose. Son action antioxydante puissante,
en fait une alliée de choix pour le traitement diététique de
l'athérosclérose. La vitamine E est surtout présente dans les
huiles végétales (surtout l'huile de germe de blé), dans les fruits
et les légumes verts.

Si vous souffrez de surpoids, je vous conseille très vivement
de perdre du poids. En effet, une perte de poids associée aux
conseils diététiques adaptés à l'athérosclérose, donne de bien
meilleurs résultats. Mon ouvrage « **Apprenez à manger &
maigrissez !** » peut vous y aider très efficacement, en
association avec les conseils prodigués au sein de cet ouvrage.

Une activité physique régulière, à votre rythme et selon vos
capacités, est également **très vivement conseillée** (sauf si avis
contraire de votre médecin).

Les huiles de palme et de coprah

L'huile de palme est une véritable aberration nutritionnelle, bien qu'il existe des controverses au sujet de sa nocivité sur la santé. Cependant, je préfère vous encourager à limiter au maximum sa consommation.

L'huile de palme est riche en acides gras saturés, et notamment en acide palmitique, qui est fortement suspecté comme étant fortement athérogène, ce qui signifie en d'autres termes, que cet acide gras **encourage fortement l'effet néfaste de l'excès de cholestérol sur vos artères** en les bouchant : **l'athérosclérose.**

L'huile de coprah (issu de la noix de coco), est également à éviter pour des raisons similaires.

Quoi qu'il en soit, je vous conseillerai d'éviter au maximum l'huile de palme. Ce sera difficile, étant donné qu'on la trouve dans énormément de produits alimentaires de nos jours, et notamment dans les margarines végétales, d'où ma grande méfiance au sujet de la majorité des margarines végétales du commerce, qui en représentent des apports plus ou moins importants (sauf si celles-ci, rares, mentionnent sur leur étiquetage « sans huile de palme »).

Enfin, privilégiez les aliments qui possèdent sur leur étiquetage « sans huile de palme ».

PRESENTATION DES FAMILLES ALIMENTAIRES

Les matières grasses

Les matières grasses regroupent les **matières grasses d'origine animale**, qui sont sources d'acides gras saturés, **de cholestérol** et pour certaines de vitamine D, et les **matières grasses d'origine végétale**, qui sont sources d'acides gras insaturés (oméga 3, 6 et 9), de vitamines A, K, D et **E.** Cependant, **les huiles de palme et de coprah,** (que l'on retrouve désormais pratiquement partout), apportent des acides gras « saturés » qui sont réputés pour être très athérogènes (**qui bouchent les artères**), d'où leur très mauvaise réputation nutritionnelle **bien méritée.** Parmi les matières grasses animales, nous pouvons citer : le beurre (doux et demi-sel) à 82% de matières grasses ou allégé, le saindoux, la graisse de canard, la graisse d'oie... et parmi les matières grasses végétales, nous citerons : les huiles végétales, les pains de végétaline et les margarines végétales (certaines sont salées, d'autres non). Il existe des « matières grasses composées » qui sont constituées par un mélange de graisses animales et de graisses végétales. **La crème fraîche sera étudiée au sein des produits laitiers.** Les matières grasses **végétales** notamment, sont très importantes pour l'équilibre nutritionnel (sauf les huiles de palme et de coprah). Cependant, elles doivent être consommées en **quantités modérées. Environ 12g de beurre doux sont conseillés quotidiennement** (un micropain), mais dans le cadre de votre athérosclérose, de la margarine végétale de qualité (St Hubert oméga 3 sans huile de palme par exemple), **dans les mêmes quantités sera privilégiée.**

Concernant votre régime alimentaire associé à votre cardiopathie, toutes les huiles végétales sont pratiquement totalement dépourvues de cholestérol. Les beurres doux et demi-sel seront à surveiller, en effet, ils sont sources de cholestérol et d'acides gras saturés : **soit vous en consommez 12g maximum par jour (un micropain de beurre du commerce), soit vous privilégiez la margarine végétale de qualité.** Je vous conseille vivement la seconde option, en privilégiant « St. Hubert oméga 3 sans huile de palme ». **Souvenez-vous de la très certaine nocivité de l'huile de palme sur votre santé, notamment dans le cadre de votre cardiopathie.**

A savoir : méfiez-vous de l'hypocrisie de très nombreuses margarines végétales (surtout celles à bas prix), qui vous vantent leurs bienfaits nutritionnels sur le cholestérol. La plupart du temps, celles-ci sont riches en huile de palme et/ou en huile de coprah, qui ne fait qu'exacerber votre athérosclérose !

1. Le métabolisme a besoin des apports vitaminiques d'un **minimum** de 10g d'huile végétale par jour (une cuillère à soupe). Il ne faut pas en priver votre organisme, cet apport est indispensable.
2. Les huiles végétales n'apportent quasiment pas de cholestérol (certaines pas du tout). Cependant elles apportent des acides gras polyinsaturés (oméga 3, 6 et 9) et des vitamines (A, E et K) qui sont très importants.
3. La vitamine E est une vitamine très importante dans le cadre de votre athérosclérose, car elle vous protège de l'aggravation de celle-ci, et donc, vous protège en partie d'une éventuelle récidive d'infarctus du myocarde (mais elle ne fait pas tout non plus !)
4. Le beurre d'été ainsi que la crème fraîche d'été sont **plus riches** en vitamines, que le beurre et la crème fraîche d'hiver.
5. Les matières grasses **ne font pas grossir**, si celles-ci sont consommées dans des quantités raisonnables, et si celles-ci sont bien réparties au cours des trois repas principaux de la journée.

6. Privilégiez absolument l'**huile d'olive extra vierge** (notamment pour la cuisson), et l'**huile de noix** en alternance avec de l'**huile de germe de blé** (pour l'assaisonnement).

7. L'huile de germe de blé est **exceptionnellement riche en vitamine E**.

8. Il sera **très intéressant** de faire un mélange pour moitié avec de l'huile de noix, et pour l'autre moitié avec de l'huile de germe de blé pour vos vinaigrettes.

9. Il est tout à fait possible de consommer des beurres allégés en matières grasses, mais dans des quantités modérées bien entendu. **En effet, dès lors qu'un corps gras d'origine animale est allégé en matières grasses, il est systématiquement allégé en cholestérol et en acides gras**. Cependant, sachez que le beurre sera, dans ce cas, **également allégé en vitamines**.

10. Le beurre léger (à 39-41% de matières grasses), apporte près **de deux fois et demie moins** de cholestérol et d'acides gras saturés, que le beurre « standard » à 82% de matières grasses.

11. Vous pouvez couper vos vinaigrettes avec de l'eau (pour moitié), elles seront alors moins caloriques, et le goût sera quasiment le même. (**Méthode très vivement conseillée**).

12. A propos des vinaigrettes, n'hésitez surtout pas à les accompagner d'oignon, d'ail et d'échalote. En effet, ces condiments sont très intéressants pour vous aider à lutter contre le développement de l'athérosclérose.

13. Attention à la crème fraîche, notamment entière (qui sera étudiée au sein des produits laitiers), qui est une source importante en cholestérol et en acides gras saturés.

14. **Ne cuisinez surtout pas** dans le beurre (ni doux, ni demi-sel) ou dans la margarine végétale. Privilégiez plutôt la cuisson dans l'huile d'olive extra vierge (mais pas pour les produits carnés).

15. L'huile d'olive extra vierge, consommée crue ou cuite (cependant pas de cuisson d'aliments carnés dans l'huile d'olive), ne pose aucun problème.

16. **Ne pas consommer** du saindoux, de la graisse d'oie ou de la graisse de canard, ni le gras des viandes, car ces graisses animales sont très riches en cholestérol et en acides gras saturés.

17. Je vous **déconseille** très fortement de consommer des frites cuites dans la friture. Consommez-les plutôt cuites au four.

18. La levure de riz rouge joue également un rôle intéressant en limitant la production de cholestérol par notre métabolisme.

19. La mayonnaise, au regard de la quantité importante d'huile végétale qui la compose, est considérée comme un produit gras. Il est profitable d'en consommer **très modérément** (**voire au mieux : pas du tout**), et surtout, de la confectionner **avec de l'huile d'olive** extra vierge. Ainsi, vous profitez des vertus nutritionnelles de l'huile d'olive, tout en consommant votre mayonnaise **confectionnée « maison »**.

20. Les matières grasses composées sont des composés gras qui ne peuvent être ni dénommés comme beurre, ni comme margarines végétales. Elles peuvent être issues d'un mélange de matières grasses laitières avec des matières grasses végétales. **Attention : elles sont fréquemment riches en cholestérol et en huile de palme** !

21. Restez toujours vigilant(e) au regard de l'huile de palme et de tous les produits alimentaires qui en contiennent. **Privilégiez toujours les aliments qui indiquent sur leur emballage « sans huile de palme »**.

22. Les publicitaires vantent les bienfaits des stérols sur le cholestérol alimentaire en le piégeant, apportés par certaines margarines végétales. Cependant, méfiez-vous. En effet, ce que les publicitaires ne vous disent pas, c'est que ces margarines végétales représentent souvent des apports non négligeables en huile de palme et/ou en huile de coprah...

23. Souvenez-vous que les corps gras d'origine végétale sont généralement sources de **stérols**, alors que les corps gras d'origine animale n'en apportent pas.

24. Souvenez-vous également que les corps gras d'origine animale apportent du **cholestérol et des acides gras saturés** en grand nombre, alors que les corps gras d'origine végétale n'apportent presque pas (ou pas) de cholestérol, mais peuvent apporter des acides gras saturés potentiellement très nocifs (l'huile de palme par exemple).

25. Souvenez-vous que de nombreux corps gras d'origine végétale sont sources **d'oméga 3**, qui jouent **un rôle très important dans la prévention de l'athérosclérose**.

26. **Ne consommez pas d'huile d'arachide.**

27. L'huile de colza est également une huile très intéressante.

Composition nutritionnelle de quelques corps gras

Légende du tableau : trois étoiles ★★★ signifient « **apports très importants**». Deux étoiles ★★ signifient « **apports élevés** ». Une étoile ★ signifie « **apports faibles** ». L'étoile vide ☆ signifie « **apports très faibles à nuls** ». « + » signifie « **le plus riche** ». « - » signifie « **le moins riche** ».

Corps gras.	Apports en cholestérol. (Ordonnés du plus riche +, vers le plus pauvre apport -).	Apports en oméga 3 (Non ordonnés).
Huile de foie de morue.	★★★ +	★★★
Beurre.	★★★	★★
Graisse d'oie.	★★	★★
Graisse de canard.	★★	★ −
Saindoux.	★★	★★
Lard cru.	★★	★★
Beurre à 41% MG.	★★	★
Huile de noix.	☆	★★★ +
Huile de colza.	☆	★★★
Huile de maïs.	☆	★★
Huile de pépin de raisin.	☆	★★
Huile de tournesol.	☆	★
Huile de noisette.	☆	★★
Huile d'olive.	☆	★★
Huile de sésame.	☆ (0)	★★
Huile de soja.	☆ (0)	★★★

Source : table de composition nutritionnelle des aliments CIQUAL 2013. (Résultats **adaptés**, afin de vous faciliter la compréhension des données).

NB : les margarines végétales ne sont pas mentionnées, à cause de trop grandes disparités existantes. Retenez que « St. Hubert oméga 3 sans huile de palme » est la plus conseillée d'entre elles.

Quelques vinaigrettes allégées

Vinaigrette allégée : une part d'huile végétale, un quart de part de vinaigre, arôme saveur (du genre Viandox), et la moitié du volume total en eau, sel, poivre, échalote, ail semoule.

Vinaigrette sauce yaourt : un yaourt maigre non sucré et nature, fines herbes au choix, une cuillère à café de vinaigre, sel, poivre, persil, oignon rouge cru.

Vinaigrette sauce fromage blanc : fromage blanc maigre nature non sucré, fines herbes au choix, vinaigre, sel et poivre.

Vinaigrette sauce fromage blanc à la moutarde : fromage blanc maigre nature non sucré, fines herbes au choix, vinaigre, une cuillère à café de moutarde, sel, poivre, persil, ail semoule.

Vinaigrette sauce citron : une part d'huile végétale, un quart de part de vinaigre, un quart de jus de citron, une petite cuillère à café de moutarde, ciboulette, et la moitié du volume total en eau, sel, poivre, échalote, ail semoule, persil.

Vinaigrette Milanaise : une part d'huile d'olive extra vierge, une part d'eau, un quart de part de vinaigre, une demi-part de moutarde, sel et poivre.

Mayonnaise légère : battre un jaune d'œuf avec un petit-suisse maigre nature sans sucre, ajoutez une cuillère à café de moutarde, jus de citron, sel, poivre, persil, échalote, oignon rouge cru, ail semoule.

Les viandes, poissons, œufs...

Les viandes, poissons, œufs et leurs assimilés (charcuteries, mollusques, coquillages, plats confectionnés à base de viande(s), et/ou de poisson(s), et/ou d'œufs tels les quiches, les pains de poisson...) appartiennent au groupe des apports majoritaires en **protéines animales**. Ce groupe alimentaire apporte **notamment** également du fer, du zinc et de la vitamine B12... **ainsi que des acides gras saturés et du cholestérol**. Une bonne part (environ 120g) par déjeuner et par jour, suffit pour couvrir les besoins du métabolisme jusque 65 ans. Après 65 ans, une part supplémentaire au dîner est conseillée. Quoi qu'il en soit, dans les exemples de menus proposés, un apport en protéines animales est systématiquement proposé au cours de chaque dîner.

Concernant votre régime alimentaire associé à votre cardiopathie, les aliments de ce groupe alimentaire représentent des apports non négligeables en cholestérol et en acides gras saturés pour la plupart d'entre eux, surtout pour les plus gras. Les poissons seront **beaucoup plus intéressants** sur le plan nutritionnel que les viandes. De nombreux facteurs rentrent en ligne de compte : la consommation de leur gras, le mode de cuisson, la quantité de consommée... Quoi qu'il en soit, cet apport alimentaire est important, mais sans excès. Les régimes végétariens ne sont pas non plus conseillés. Il suffira de respecter certaines règles nutritionnelles préétablies, énumérées dès la page suivante.

☞ **A savoir** : je suis fatigué d'entendre dire que le gras de canard c'est bon pour la santé, ou bien qu'il s'agit d'un bon gras ! **C'est faux !** Toutes les graisses animales (à l'exception de certaines huiles de poisson), sont **riches** en acides gras saturés et en cholestérol, ce qui est très néfaste pour votre santé.

1. **Toutes les charcuteries grasses** seront **à éviter absolument**. En effet, elles sont toutes trop riches en cholestérol, ainsi qu'en acides gras saturés.

2. **Ne consommez pas de cervelle**. En effet, la cervelle possède une teneur record en cholestérol : pas moins de 2% du produit fini, ce qui est énorme !

3. Les charcuteries **consommables** sont les charcuteries maigres : jambon blanc **sans la couenne**, jambonneau, bacon, andouille, andouillette **grillée**, tripes (dégraissées après cuisson), boudin blanc.

4. Les viandes en sauce (les ragoûts par exemple), et les viandes rouges, ne seront pas consommées plus d'une fois par semaine.

5. **Très important** : cuisinez le plus souvent possible vos viandes **au grill** (grill électrique, plancha, cheminée, poêle antiadhésive avec feuille de cuisson...) ou rôties. Ainsi, une partie du cholestérol et des acides gras saturés se retrouveront éliminés pendant la cuisson (surtout si cuisson au grill).

6. Les cuissons en braisé ne poseront pas de problème particulier. Cependant, les morceaux de viande seront dégraissés au préalable, et de l'huile d'olive extra vierge sera utilisée dans la préparation **avec parcimonie**. N'oubliez pas l'ail, l'oignon...

7. **Ne pas consommez le gras de vos viandes**.

8. A partir du moment où vos viandes seront grillées ou rôties, il n'y aura pas de choix particulier à faire à leur niveau. **Evidemment, soyons logique** : de la poitrine de porc, même grillée, sera toujours trop grasse ! Elle sera donc à éviter, quel que soit son mode de cuisson...

9. Les lardons seront consommés **après avoir été dégraissés** : jetez les lardons dans une poêle bien chaude, laissez-les fondre, puis éliminez les matières grasses fondues en ne gardant que les lardons dégraissés.

10. Que les viandes ou les poissons soient surgelés, cela n'a pas d'incidence.

11. Les abats **sont riches en cholestérol**. Je vous déconseille d'en consommer plus d'une fois tous les quinze jours.

12. La viande de cheval est **la viande rouge** la plus conseillée : elle est très peu grasse, peu riche en cholestérol et en acides gras saturés, et elle est très riche en protéines.

13. Les viandes et les abats **ne représentent pas** des sources alimentaires intéressantes en oméga 3.

14. Les viandes, les œufs, les poissons maigres, les crustacés et les abats **ne représentent pas** des sources alimentaires importantes en vitamine E. Le saumon, l'anguille... un peu plus.

15. **Pas de problème particulier avec les œufs, si et seulement si, leur consommation hebdomadaire ne dépasse pas trois œufs au total**.

16. Mode de cuisson des œufs : au « plat », en omelette, brouillés, crus, coques, durs... cela n'a pas d'importance.

17. Vous pouvez consommer vos œufs aussi bien au déjeuner qu'au dîner.

18. Privilégiez la consommation d'œufs de poules élevées en plein air, issus au mieux de l'élevage bio.

19. Toutes les préparations **à base d'œufs**, telles les quiches, les tartes salées... sont à considérer dans ce groupe alimentaire riche en protéines animales (ce sont leurs assimilés). En contrepartie, les gâteaux à base d'œufs (sablés, crème pâtissière...) ne seront pas à considérer dans ce groupe alimentaire, mais **dans celui des produits sucrés**.

20. Seul le jaune d'œuf apporte du cholestérol et des acides gras saturés. **Le blanc, lui, n'en apporte pas du tout**.

21. Si vous élevez vos poules, et si vous consommez leurs œufs, donnez **des graines de lin** à manger à vos poules (en plus de leur alimentation courante). Cela enrichira **considérablement** les œufs en oméga 3 (acide gras polyinsaturé) qui joue, nous l'avons déjà vu, **un rôle très protecteur vis-à-vis du développement de l'athérosclérose**.

22. Ne consommez pas la peau des volailles, même si celle-ci est bien grillée.

23. A l'exception de la viande de canard, les volailles ne sont pas des apports élevés en cholestérol alimentaire (sauf la peau). La dinde en est la moins riche de toutes. Cependant, les volailles excepté le canard, sont plutôt intéressantes pour leurs apports alimentaires en oméga 3. **Privilégiez donc la consommation des volailles, et surtout de leur « blanc »**.

24. Tous les poissons sont consommables, surtout les poissons gras : hareng, sardine, thon, anguille, saumon, truite, perche, maquereau, anchois, congre... qui sont riches en acides gras polyinsaturés (oméga 3 notamment), jouant un rôle très protecteur contre le développement de l'athérosclérose : mangez-en au moins trois fois par semaine.

25. Les poissons peuvent être consommés **fumés** sans problème.

26. Le thon en conserve **à l'huile**, ne posera pas de problème.

27. Les poissons de consommables seront cuits au court-bouillon, vapeur, grillé, au four, au four micro-ondes, en papillote.

28. Même si certains poissons apportent du cholestérol en quantités non négligeables (tel le maquereau par exemple), **n'en tenez pas compte**. En effet, leurs vertus dépassent de très loin leurs inconvénients sur le plan nutritionnel au regard de l'hypercholestérolémie, notamment chez les poissons gras.

29. Privilégiez la consommation du poisson au dîner, et consommez la viande plutôt au cours du déjeuner.

30. Savez-vous qu'il existe un médicament à base d'huile de poisson, qui est utilisé dans le traitement des hyperlipidémies, telle l'hypercholestérolémie ? Cela en dit long sur la qualité du poisson et surtout de ses matières grasses, dans votre alimentation... il s'agit en effet du Maxepa.

31. Attention au calamar qui est riche en cholestérol avec des apports en oméga 3 **très faibles**. **Au mieux, je vous invite à ne pas en consommer.**

32. Les crevettes sont certes très riches en cholestérol, mais pas de panique : **le cholestérol est essentiellement contenu dans leur tête et dans leurs œufs.** Il suffit donc de ne consommer que le corps de la crevette.

33. Les sardines fraîches sont les championnes des poissons : **elles n'apportent pas de cholestérol du tout, et ce sont les poissons les plus riches en oméga 3** ! De plus, pour info, il s'agit des poissons les plus riches en calcium (si consommées avec leurs arêtes), les plus riches en vitamine D, et elles sont riches en zinc et en fer ! **En définitive : mangez des sardines !**

34. **Les sardines à l'huile ou à la tomate en conserve, sont également tout autant intéressantes.** Ne vous en privez pas !

35. Ni vos viandes, ni vos poissons ne seront cuits dans des matières grasses quelconques. En effet, il s'agit dans ce cas de graisses cuites **hautement déconseillées**. Cependant, des braisés ou des ragoûts, **de temps en temps**, ne poseront pas de problème particulier (si cuisinés à base d'huile d'olive...)

Composition nutritionnelle de quelques poissons et produits de la mer

Légende des tableaux : trois étoiles ★★★ signifient « **apports très importants** ». Deux étoiles ★★ signifient « **apports élevés** ». Une étoile ★ signifie « **apports faibles** ». L'étoile vide ☆ signifie « **apports très faibles à nuls**». « + » signifie « **le plus riche** ».

Poissons et produits de la mer.	Apports en cholestérol. (Ordonnés du plus riche +, vers le plus pauvre apport -).		Apports en oméga 3 (Non ordonnés).	
Crevette.	★★★	+	☆	(0)
Calamar.	★★★		☆	
Seiche.	★★		☆	
Bigorneau.	★★		☆	
Homard.	★★		☆	
Maquereau.	★		★★	
Bar.	★		☆	
Sole.	★		☆	
Daurade.	★		☆	
Truite.	★		★	
Moule.	★		☆	
Hareng.	★		★	
Saumon **frais** (non fumé).	★		★★	
Clam, praire, palourde.	★		☆	
Huître.	☆		☆	
Raie.	☆	(0)	☆	
Poisson **pané**.	☆	(0)	☆	
Sardine fraîche.	☆	(0)	★★	+
Thon **frais**.	☆	(0)	☆	

Source : table de composition nutritionnelle des aliments CIQUAL édition 2013. (Résultats **adaptés**, afin de vous faciliter la compréhension des données).

Composition nutritionnelle de quelques viandes, abats et de l'œuf

Rappel : trois étoiles ★★★ signifient « **apports très importants** ». Deux étoiles ★★ signifient « **apports élevés** ». Une étoile ★ signifie « **apports faibles** ». L'étoile vide ☆ signifie « **apports très faibles à nuls** ». « + » signifie « **le plus riche** ». « - » signifie « **le moins riche** ».

Viandes, abats et œuf.	Apports en cholestérol. (Ordonnés du plus riche +, vers le plus pauvre apport -).	Apports en oméga 3 (Non ordonnés).
Cervelle.	★★★ +	Non communiqué.
Rognon d'agneau.	★★★	Non communiqué.
Foie de porc.	★★★	★★
Gésier de canard.	★★★	☆
Œuf **entier**.	★★★	☆ **
Ris de veau.	★★★	☆ (0)
Cœur de bœuf.	★★	☆
Langue de bœuf.	★★	★
Agneau (moyenne).	★	☆
Porc (moyenne).	★	☆
Bœuf (moyenne).	★	☆
Canard (moyenne).	★	☆
Veau (moyenne).	★	☆
Lapin (moyenne).	★	☆
Poulet et poule (moyenne).	★	★★ +
Cheval (moyenne).	★	☆
Dinde (moyenne).	★ –	★

Source : table de composition nutritionnelle des aliments CIQUAL édition 2013. (Résultats **adaptés**, afin de vous faciliter la compréhension des données). ****Dépend de l'alimentation de la poule.**

Quelques idées de recettes...

Les viandes de consommées seront si possible maigres : veau, bœuf maigre, escalope de poulet ou de dinde, cuisse de dinde ou de poulet, jambon blanc maigre, côte de porc, filet mignon...

Les poissons de consommés seront maigres et gras, en retenant que les poissons gras jouent un rôle essentiel sur votre cholestérolémie.

Les œufs sont consommables (avec modération) à la coque, mollets, durs, cocottes, pochés, au plat, en omelette ou brouillés...

Les modes de cuisson à favoriser sont les suivants : grillade, dans une poêle antiadhésive sans matière grasse, rôti, papillote, à la vapeur, à l'eau, en braisé ou en sauté dans une cocotte (mais en respectant certaines règles nutritionnelles que je vous proposerai ultérieurement).

➤ **Sur le grill** : ne pas huiler la viande, le poisson ou le grill ! Utilisez le grill très chaud, ainsi il n'y aura pas adhérence entre la grille et l'aliment. Ce mode de cuisson est très vivement conseillé car ainsi les graisses de constitution fondent et l'aliment devient alors beaucoup plus digeste !

➤ **Dans une poêle antiadhésive** : ne pas huiler la pièce à cuire et ne pas huiler non plus la poêle. Utilisez la poêle très chaude, pour cela vaporisez un peu d'eau dans la poêle, dès que l'eau s'est évaporée, la poêle est assez chaude. En général, cuisinez ensuite votre viande dans la poêle mais à feu moyen afin d'éviter la carbonisation de l'aliment qui est en train de cuire.

➤ **En papillote** : enveloppez dans du papier aluminium des petites pièces de viande ou de poisson en aromatisant : fines herbes, ail, thym, feuilles de laurier sauce, citronnelle, sel, poivre, quelques épices diverses si tolérées... Vin blanc sec également de possible... puis fermez la papillote très hermétiquement. Cuisson au four ou à la vapeur.

➤ **Dans le four** : grill, brochette ou rôti à réserver aux pièces les plus grosses. Afin d'éviter le dessèchement des pièces à cuire il est possible d'adjoindre un bol d'eau dans le four pour y maintenir une atmosphère plus humide.

➤ **A la vapeur** : dans le panier de l'autocuiseur, dans le couscoussier ou encore entre deux assiettes au-dessus d'une casserole. Les pièces peuvent être accompagnées de légumes et d'aromates qui vont donner du goût, mais également l'eau qui pourra être enrichie très avantageusement de nombreux aromates : thym, feuilles de laurier sauce, romarin, citronnelle... le liquide bouillant doit toujours se situer au niveau inférieur de la passoire ou du panier contenant les aliments à cuire.

➤ **A l'eau** : commencez par préparer un court bouillon très parfumé : dans de l'eau froide et salée, incorporez des carottes coupées en fines rondelles, ail, oignon en rondelles, deux clous de girofle, poivre en grains, thym, deux feuilles de laurier sauce, romarin, persil, blancs de poireaux... puis laissez cuire à feu moyen pendant 45 minutes dès ébullition. Ensuite, laissez refroidir le court bouillon en le passant au chinois (il ne vous reste donc plus que le bouillon parfumé). Ensuite les pièces à cuire au court bouillon seront incorporées au court bouillon tiède ou froid et la cuisson débutera à feu moyen. Idéal pour la cuisson des poissons, blanquette de veau diététique, etc.

➤ **Dans une cocotte** : soit la cocotte a un revêtement antiadhésif, soit la cocotte est à fond épais. Un peu d'huile végétale peu être utilisée mais avec parcimonie (en favorisant, je le rappel, l'huile d'olive extra vierge). Au mieux, si la quantité de matières grasses utilisée est faible ou inexistante, faites sauter vos viandes dans la cocotte bien chaude mais pas à feu vif, tout en remuant sans cesse les morceaux de viande à l'aide d'une spatule en bois.

➤ *Au four à micro-ondes* : possibilité de faire des papillotes mais uniquement avec du papier cuisson sulfurisé. Le problème de ce mode cuisson c'est que la cuisson est rapide et que les aliments n'ont pas le temps de s'imprégner du goût des aromates.

➤ *La cuisson en braisé* : il s'agit d'un mode de cuisson très intéressant pour les viandes de troisième catégorie, c'est-à-dire les viandes nécessitant une longue cuisson... La méthode est très simple à mettre en pratique et en plus, si votre viande est bien parée, le plat obtenu est peu gras. Voici la méthode à mettre en œuvre :

1- Dans une cocotte (au mieux en fonte émaillée) avec couvercle indispensable, bien chaude, faire rissoler les morceaux de viande maigre découpés en quartiers de taille moyenne dans un peu d'huile d'olive extra vierge à feu moyen à vif.

2- Une fois les morceaux de viande maigre bien rissolés, les réserver dans un plat à part.

3- Dans la cocotte, faire revenir ensuite des oignons coupés en dés ou en lamelles ainsi que des carottes préalablement parées, lavées et découpées en rondelles, les faire rissoler ensemble à feu moyen jusqu'à la caramélisation des oignons.

4- Réintégrer les morceaux de viande maigre dans la cocotte avec les oignons caramélisés et les carottes, introduire le bouquet garni, sel, poivre, et mouiller avec de l'eau tiède, ou mieux avec du bouillon de viandes ou de légumes, avec possibilité également de le faire avec pour moitié de vin rouge... Si vous n'avez pas de bouillon de viandes de disponible, introduisez deux cubes de bouillon déshydraté dans un bol d'eau chaude et faite dissoudre les cubes au fouet... (attention dans ce cas à modérer vos apports en sel, car les cubes sont très salés). Le liquide de mouillement ne doit pas dépasser la hauteur de la viande, au mieux le liquide de mouillement doit atteindre les 2/3 du niveau de la viande.

5- Bien tout mélanger à feu vif en décollant les sucs au fond de la cocotte avec une spatule en bois, si vin rouge ajouté, laisser bouillir à feu vif et à découvert pendant 10 minutes, car ainsi l'alcool s'évaporera du plat et il n'en subsistera que les arômes.

6- Laisser cuire à feu doux pendant au moins deux heures, voire trois heures et toujours à couvert. Possibilité de mettre de l'eau dans la rigole du couvercle, ce qui accentuera le cycle d'arrosage de cuisson au sein de la cocotte. A noter que plus la cuisson est longue (proche des 3 heures et plus), et plus la viande sera tendre. De temps en temps, venir contrôler que la viande ne colle pas dans le fond de la cocotte.

7- Possibilité en fin de cuisson de réduire la sauce de braisage obtenue : à feu moyen, couvercle retiré, laisser cuire en remuant sans cesse : l'eau de constitution s'évapore et le liquide de mouillement se concentre ainsi en arômes.

➤ **Les ragoûts** : il s'agit de cuire des viandes ou des poissons dans des roux à base de farine de blé, de fécule de pommes de terre, de Maïzena... Ce plat est riche en graisses cuites et il est peu digeste. Je vous déconseille ce mode de cuisson.

➤ **Le bouquet garni** : faire un bouquet avec des branches de thym frais, une branche de laurier sauce (accompagnée de quelques feuilles), une ou deux branches de romarin, du blanc de poireau et ficeler solidement le tout avec de la ficelle de cuisine.

Conseils culinaires indispensables

- Si utilisation de lardons dans vos plats, **dégraissez-les** toujours avant de les intégrer dans vos plats.
- Parez et **dégraissez** vos viandes autant que possible avant leur intégration à vos plats.
- Privilégiez les **poissons gras** aux poissons maigres au cours de l'élaboration de vos recettes.
- **Limitez** l'utilisation des matières grasses autant que possible.
- Favorisez l'huile d'olive extra vierge.
- Favorisez la farine de blé **complet** dans vos recettes.
- Si des produits laitiers sont utilisés dans vos plats, privilégiez ceux qui sont **allégés en matières grasses** : lait écrémé ou demi-écrémé, fromage blanc maigre, fromage affiné allégé en matières grasses, crème fraîche allégée en matières grasses...
- Vous pouvez remplacer la crème fraîche par de la crème de soja (qui est dépourvue de cholestérol).
- **Ne pas trop saler** vos plats.

Les féculents

NB : tous les conseils diététiques proposés au sein de ce paragraphe, concernant les féculents, sont **parfaitement adaptés**, et même **vivement conseillés**, en cas **de diabète pancréatique**, pathologie associée ou non à votre cardiopathie.

Les féculents représentent les **apports énergétiques d'origine alimentaire par excellence**. Leur absorption intestinale est **lente** (d'où la désignation de « **sucres lents** », qui leur est également attribuée). **Les féculents sont absolument indispensables à chaque petit-déjeuner et déjeuner**. Ils seront cependant consommés ou non, au cours du dîner (cela se fera à votre guise). Les féculents les plus communs sont : la pomme de terre (et sa fécule), le riz (riz blanc, riz complet, vermicelle de riz, semoule de riz...), le quinoa, le tapioca, tous les légumes secs (coco, soisson, lentille, fève, pois cassé, haricot rouge...), tous les produits à base de céréales (blé, avoine, seigle, sarrasin...) tels : le blé précuit (Ebly), les pâtes de froment ou complètes, la semoule de blé, le pain, les crêpes, les galettes, la pâte brisée, la pâte sablée ou feuilletée, le muesli...

Il existe des **féculents complets** (à base de céréales complètes) : riz complet, pâtes de blé complet, pain complet, pain aux céréales, pain multicéréales, pain aux graines, légumes secs... et des **féculents blutés** (ou raffinés), c'est-à-dire des **féculents non complets** : riz blanc, pain blanc, pâtes de froment... Je vous conseille **très vivement** de favoriser la consommation des féculents complets, au profit des féculents blutés.

Les féculents représentent les fondations même de votre équilibre alimentaire.

Concernant votre régime alimentaire associé à votre cardiopathie, les féculents ne sont pas des sources naturelles de cholestérol, ni d'acides gras saturés. Seuls les féculents complets **seront intéressants** pour leurs apports en stérols, mais également en fibres alimentaires végétales. Les féculents blutés (non complets), eux, en sont quasiment totalement dépourvus. Les féculents complets apportent également du fer, du zinc et des vitamines du groupe B... **Les féculents, qu'ils soient complets ou non, ne sont pas des sources alimentaires importantes en oméga 3, ni en vitamine E pour la très grande majorité d'entre eux.** Enfin, les féculents complets favorisent le transit intestinal, et **ils permettent de diminuer de 10 à 15% l'absorption intestinale du cholestérol d'origine alimentaire (grâce à leur richesse en fibres).**

A savoir : il est difficile de classifier certains aliments tels les brioches, pains au lait, sablés, viennoiseries... En effet, **il s'agit à la fois de féculents et de produits sucrés** ! Pour faciliter notre collaboration nutritionnelle, nous considèrerons ces aliments comme des produits sucrés, **riches en cholestérol et en acides gras saturés**. Ils seront donc à bannir de votre alimentation.

1. Les féculents **doivent être impérativement consommés** au moins aux petits-déjeuners, aux déjeuners et, éventuellement aux goûters. Ils pourront être non consommés aux dîners sans aucun problème (notamment si surpoids à traiter).
2. Contrairement aux idées reçues, les féculents ne font pas grossir s'ils sont consommés dans des quantités adéquates, ainsi que dans une bonne logique de répartition journalière.
3. Consultez la liste complète des féculents sur la page de mon site Internet les concernant : www.cedricmenarddieteticien.com
Les plus courants sont : le pain, les pommes de terre, les légumes secs, les pâtes et le riz, la farine de blé, seigle, orge, le quinoa...

4. Les pains riches en fibres : pain complet, pain aux céréales, pain aux graines... **doivent être privilégiés au pain blanc.**

5. Les légumes secs sont représentés par les graines des légumineuses (lentille, fève, haricot blanc, soisson, flageolet...) Il est conseillé d'en consommer une fois par semaine. Ce sont bien évidemment des féculents considérés comme **complets.**

6. Le petit pois **frais n'est pas** un féculent : c'est un légume vert. **Le pois cassé, lui, est** un féculent (purée Saint-Germain).

7. Le **maïs doux** est un légume vert, alors que la **Maïzena** (farine de maïs) est un féculent.

8. Le quinoa est un **excellent féculent complet.** Il est riche en stérols, en fibres, en oméga 3 **et en vitamine E.** De plus, il est exceptionnellement riche, pour une céréale, en fer, calcium, zinc, magnésium, phosphore et potassium ! **Mangez du quinoa !**

9. Tous les plats et les préparations à base de farine de blé, de sarrasin, de maïs (Maïzena), de seigle... : galette, crêpe, semoule de blé ou de riz, sont des plats ou des préparations à base de féculent, et **sont donc à considérer comme des féculents.**

10. Si vous confectionnez des crêpes, utilisez de la farine de blé complète (T110 à T150) au lieu des farines de blé T45 ou T55 par exemple (farines blanches). Idem pour la confection des ragoûts, béchamels...

11. **TRES IMPORTANT :** les pâtes devront être consommées **fermes ou al dente,** mais **jamais fondantes. Privilégiez fortement** les pâtes de gros calibre (tagliatelle, escargot, coude, spaghetti...), et celles à base de **farine complète seront optimales.**

12. Une fois vos pâtes cuites, accompagnez-les d'un peu d'huile d'olive extra vierge. Surtout pas de beurre !

13. **TRES IMPORTANT : privilégiez les céréales complètes autant que possible** : riz complet, pâtes à base de farine de blé complet, pain complet, pain aux céréales...

14. Quand vous ressentez de la faim entre les repas, c'est peut-être lié à une ou deux choses : soit vous mangez trop vite **et/ou votre consommation de féculent fut insuffisante lors du dernier repas.** Donc, si vous ressentez des sensations de faim entre les repas, pensez automatiquement : « **Ai-je consommé suffisamment de féculent à mon dernier repas ? »**

15. La baguette est **le plus « mauvais »** des pains sur le plan nutritionnel. Je vous la déconseille totalement.

16. Le pain de mie **complet** du commerce ne posera pas de problème. Cependant, vous veillerez à ce que celui-ci soit dépourvu d'huile de palme.

17. Les biscuits spéciaux pour le petit-déjeuner, du genre « Belvita » sont de bons produits. Ils sont relativement pauvres en cholestérol. Ce sont des féculents à part entière. Ils peuvent remplacer le pain du petit-déjeuner sans problème. Privilégiez toujours ceux qui sont **les plus riches en céréales complètes. Ils sont fréquemment sources de vitamine E**.

18. Les chocos (de qualité) à base de blé complet, ne poseront pas de problème au sein du petit-déjeuner. En effet, cela peut surprendre, mais leur intérêt nutritionnel n'est absolument pas nul au sein du petit-déjeuner.

19. Je ne vous conseille pas les biscottes, même complètes. En effet, je considère leur qualité nutritionnelle, ainsi que leur index glycémique, inadaptés à un bon équilibre alimentaire.

20. Les barres céréalières vendues dans le commerce, même celles dites « de régime », ne seront pas à consommer si possible.

21. Je ne vous conseille pas les céréales du petit-déjeuner à base de blé ou de maïs extrudé. Et encore moins celles dites « de régime ». Ce sont de mauvais aliments sur un plan nutritionnel.

22. Ne confectionnez pas votre béchamel avec du beurre, mais confectionnez-la avec de l'huile d'olive extra vierge.

23. Du « son de blé » dans vos yaourts, fromages blancs, salades... peut être très intéressant, **notamment si vous souffrez également de constipation chronique**. En effet, le son de blé, consommé à hauteur de **deux cuillères à café maximum par jour**, stimule très efficacement le transit intestinal, et il séquestre également une bonne partie du cholestérol d'origine alimentaire (empêchant ainsi son absorption).

24. N'oubliez surtout pas ce point fondamental au sujet des féculents : les féculents **complets** joueront un rôle **important et positif** au regard du traitement diététique de votre athérosclérose, alors que les féculents **blutés** (ou raffinés) n'en joueront **aucun** !

➢ **Les pâtes** : les pâtes seront idéalement consommées al dente. Evitez cependant les pâtes de cuisson rapide qui n'ont pas le même intérêt nutritionnel que celles de cuisson standard (8-10 minutes).

➢ **La sauce béchamel** : la recette traditionnelle est la suivante : dans une casserole, faire un roux blanc avec de l'huile d'olive extra vierge et de la farine de blé **complet**, pour 20g d'huile on additionne 20g de farine de blé complet, puis une fois dextriné, on lie l'ensemble au fouet en remuant doucement, hors du feu, avec du lait chaud salé, poivré et additionné de noix de muscade moulue, puis on réchauffe l'ensemble sur feu doux tout en remuant sans cesse jusqu'à épaississement. La recette traditionnelle est source de graisses cuites. Cependant il existe une parade qui consiste à éliminer les matières grasses de la recette, nous obtenons alors une béchamel diététique.

➢ **La sauce béchamel diététique** : on lie au fouet la farine de blé **complet** à hauteur de 3 à 8% de la quantité de lait chaud salé, poivré et additionné de noix de muscade moulue, par exemple pour une quantité de lait de 100ml, on utilise de 3 à 8g de farine de blé complet. Il s'agit d'une liaison type bouillie. Puis une fois la liaison homogène, on réchauffe à feu doux pendant 5 à 10 minutes jusqu'à épaississement : la béchamel diététique est prête.

➢ **Les légumes secs** : les légumes secs doivent être impérativement mis à tremper au moins 12 heures dans une grande quantité d'eau froide avant leur cuisson. Puis leur cuisson s'effectuera dans un court bouillon très parfumé et préparé à l'avance (la veille), de plus, la cuisson s'effectuera toujours au départ court bouillon froid, à cuisson lente et à couvert.

Conseils culinaires indispensables

- Dans la mesure du possible, toujours favoriser l'utilisation de féculents **complets** (pâtes complètes, riz complet, farine de blé complet, légumes secs...)
- Si vous utilisez des pâtes brisées ou feuilletées industrielles, n'oubliez pas qu'il en existe des allégées en matières grasses.
- N'hésitez pas à cuisiner régulièrement des **légumes secs**.
- **Limitez** l'utilisation des matières grasses autant que possible.
- Favorisez l'huile d'olive extra vierge.
- Si des produits laitiers sont utilisés dans vos plats, privilégiez ceux qui sont **allégés en matières grasses** : lait écrémé ou demi-écrémé, fromage blanc maigre, fromage affiné allégé en matières grasses, crème fraîche allégée en matières grasses...
- Vous pouvez remplacer la crème fraîche par de la crème de soja (qui est dépourvue de cholestérol).
- Si vous souhaitez utiliser un lait végétal dans vos desserts, favorisez le lait d'amande, de noisette et le lait de soja nature.
- Le sucre est déconseillé : utilisez, si possible, toujours **un édulcorant** à la place du sucre. Souvenez-vous que 10g d'édulcorant « sucre » autant que 100g de sucre !
- **Ne pas trop saler** vos plats.

Les légumes verts

NB : tous les conseils diététiques proposés au sein de ce paragraphe, concernant les légumes verts, sont **parfaitement adaptés** et même **vivement conseillés**, en cas **de diabète pancréatique**, pathologie associée ou non à votre cardiopathie.

Les légumes verts sont tous quasiment dépourvus d'énergie. Ils sont indispensables dans votre alimentation quotidienne. Ils sont réputés pour être anticancéreux, notamment s'ils sont issus de l'agriculture biologique. Les légumes verts représentent des apports fondamentaux en fibres alimentaires végétales, qui favorisent fortement le transit intestinal, et qui séquestrent une partie du cholestérol alimentaire. Ils apportent également des vitamines (vitamines du groupe B surtout B9, vitamines K, C et E...) et des sels minéraux, qui sont indispensables pour le bon fonctionnement quotidien du métabolisme. Les légumes verts peuvent être consommés à chaque repas, cependant, c'est au dîner que leur rôle prédomine. Au mieux, les légumes verts seront consommés également à chaque déjeuner (et même pourquoi pas au cours de chaque petit-déjeuner). Cependant, leur consommation au cours du déjeuner **ne doit pas éclipser celle des féculents**, qui, pour ces derniers, sont indispensables lors de chaque déjeuner.

Concernant votre régime alimentaire associé à votre cardiopathie, aucun légume vert ne posera de problème. En effet, leur apport en cholestérol alimentaire **est nul**, celui en acides gras saturés **négligeable**. Leur rôle dans votre alimentation est indispensable. Les légumes verts favorisent le transit intestinal, réduisent l'absorption intestinale du cholestérol alimentaire **de 10 à 15%**. Ils jouent **un rôle protecteur très important grâce à leurs apports uniques (avec les fruits) en flavonoïdes, ainsi qu'en vitamines E et C.** Leur consommation régulière dans de bonnes quantités, réduit significativement le développement de l'athérosclérose.

☝ **A savoir** : après les fruits frais, les légumes verts sont les premières sources alimentaires en vitamine C. La vitamine C joue un rôle **très important** au regard de la cholestérolémie. En effet, **cette vitamine aide à lutter contre la formation de l'athérosclérose**.

1. Les légumes verts peuvent être consommés crus ou cuits. La consommation crue reste cependant **à privilégier, pour environ le tiers des apports journaliers totaux** en légumes verts. En effet, la cuisson détruit une bonne partie des vitamines. La cuisson à la vapeur reste cependant la plus intéressante.
2. Les fibres alimentaires végétales, qu'elles soient cuites ou crues, jouent le même rôle au sein du métabolisme (amélioration du transit, séquestration du cholestérol alimentaire...)
3. Il est très vivement conseillé de peler, de râper... les légumes verts en vue de leur consommation crue, le plus proche possible de leur consommation, car bon nombre de vitamines sont détruites par leur contact avec l'oxygène. (Sinon citronnez-les juste après les avoir préparés).
4. Ne jamais laisser tremper les légumes verts dans l'eau, mais passez-les plutôt rapidement sous le jet du robinet. En effet, le trempage entraîne **une perte très importante** de vitamines et de sels minéraux, qui migrent vers l'eau de trempage par phénomène d'osmose. De ce fait, dès lors que cette eau de trempage n'est pas consommée, les vitamines et les sels minéraux se retrouvent alors perdus ! Ce qui est un comble !
5. Toujours bien laver ses légumes verts, notamment après épluchage, car la peau est souvent vectrice de parasites à différents stades d'évolution. La toxoplasmose, la contamination aux ascaris (et autres parasitoses à vers...), se fait très fréquemment à cause de légumes verts souillés au préalable, et qui furent mal lavés avant leur consommation.
6. La liste des légumes verts est à consulter sur mon site Internet www.cedricmenarddieteticien.com à la page « liste des légumes verts ».

7. La pomme de terre **n'est pas** un légume vert : c'est un féculent.

8. Le mieux sera de consommer vos légumes verts frais, ou encore surgelés, sous forme de poêlée ou nature.

9. Le petit-pois **frais n'est pas** un féculent, c'est un légume vert. **Le pois cassé, lui, est** un féculent (purée Saint-Germain).

10. Le maïs doux est un légume vert. La Maïzena (farine de maïs) est un féculent.

11. Les légumes verts peuvent être consommés sous forme de potage sans aucun problème.

12. Savez-vous que 100g de chou vert apportent plus de vitamine C que 100g d'orange ? Cela en fait un allié de premier choix !

13. La consommation des légumes verts n'est pas limitée en quantité, mangez-en autant que vous le souhaitez.

14. Les légumes verts peuvent être frais (c'est le top), surgelés (dans ce cas, il existe un grand nombre de choix de poêlées surgelées dans les supermarchés, qui sont parfaitement adaptées à votre travail diététique en cours), ou encore en conserve sans aucun problème.

15. Les pousses de bambou, les cœurs de palmier... seront assimilés aux légumes verts.

16. Dès que possible, je vous conseille de consommer les légumes verts **avec leur peau**, car les vitamines, les sels minéraux et une bonne partie des fibres alimentaires végétales, sont perdus lors du pelage, car la plupart de ces éléments nutritifs se trouvent juste sous la peau des légumes verts (et des fruits). Une courgette, par exemple, est parfaitement consommable avec sa peau.

17. L'ail, les oignons et les échalotes sont d'excellents légumes verts (ou condiments), que **je vous conseille vivement de consommer sans modération**, crus ou cuits. En effet, leur rôle très positif au regard de l'athérosclérose, et donc de l'hypercholestérolémie ne sont plus à démontrer.

18. Les légumes verts les plus intéressants, **au regard de leurs apports en vitamine C**, sont le persil, les poivrons, le cresson de fontaine et le chou de Bruxelles.

19. Les légumes verts les plus riches en flavonoïdes sont, par ordre **décroissant** d'importance : l'oignon, l'endive, le chou-brocoli, les céleris, le poireau, les haricots verts et le chou de Bruxelles.

20. Le persil est un condiment de choix, à apporter dans tous vos plats (sources de flavonoïdes et d'oméga 3). Il est très riche en vitamine C, mais également en fer, en calcium...

21. Les légumes verts sont en général de bonnes sources alimentaires en oméga 3.

22. Les légumes verts sont sources de vitamine E.

23. Cuisiner ses légumes verts dans un peu d'huile d'olive extra vierge, ne sera pas considéré comme des apports en graisses cuites.

24. Une consommation régulière de légumes verts protège des cancers colorectaux.

25. L'avocat est un fruit oléagineux, tout comme les olives. Cependant, ceux-ci se rapprochent plus des légumes verts. Leur composition nutritionnelle est très intéressante, en effet, ils sont riches en oméga 3 et 9, en stérols, en fibres **et en vitamine E.** Ce sont de très bons aliments à mettre dans de nombreux plats. Un mijoté de poulet aux olives, de l'avocat dans vos salades...

26. Les olives et l'avocat sont certes énergétiques. Il s'agit tout simplement de ne pas en abuser, et leur consommation régulière ne posera aucun problème (bien au contraire).

27. **La sauce tomate** (à base de concentré), joue un rôle intéressant grâce à ses apports alimentaires non négligeables en vitamine E.

28. **Les carottes râpées** sont très intéressantes. En effet, leur richesse en bêta-carotènes (qui donnent la couleur orange à la carotte), aide à réduire le taux de LDL-Cholestérol sanguin.

29. Les **haricots de soja** sont malheureusement difficiles à acheter dans le commerce, à part dans certains commerces asiatiques. En effet, leur qualité nutritionnelle est trop importante pour ne pas les nommer. Ils sont efficaces pour vous aider à réduire votre taux de LDL-Cholestérol sanguin, **tout en élevant votre taux de HDL-Cholestérol** !

30. Le soja, les pousses de soja, et tous les dérivés à base de soja (lait de soja, soya ou tofu...) possèdent également de grandes vertus anti-cholestérol reconnues. N'hésitez pas à en consommer !

Composition nutritionnelle de quelques légumes verts

Rappel : trois étoiles ★★★ signifient « **apports très importants** ». Deux étoiles ★★ signifient « **apports élevés** ». Une étoile ★ signifie « **apports faibles** ». « + » signifie le plus riche. « - » signifie le moins riche.

Les légumes verts.	Apports en vitamine C. (Ordonnés du plus riche +, vers le plus pauvre apport -).
Persil.	★★★ +
Poivron.	★★★
Chou de Bruxelles.	★★★
Cresson de fontaine.	★★★
Chou rouge.	★★★
Epinard.	★★
Chou brocoli.	★★
Chou blanc.	★★
Navet.	★
Bette.	★
Poireau.	★
Tomate.	★
Petit pois.	★
Artichaut.	★
Mâche.	★
Haricot vert.	★
Maïs doux.	★
Carotte.	★
Concombre.	★
Salade verte.	★
Salsifis.	★ −

Source : table de composition nutritionnelle des aliments CIQUAL édition 2013. (Résultats **adaptés,** afin de vous faciliter la compréhension des données).

➢ **Le bouquet garni** : chacun peut élaborer son propre bouquet garni, il s'agit en fait d'associer divers aromates et de les ficeler ensemble. Une idée de bouquet garni : une branche de laurier sauce possédant de 6 à 8 feuilles, deux belles branches de thym, deux belles branches de romarin, un blanc de poireau, le tout ficeler solidement avec de la ficelle de cuisine.

➢ **Le court bouillon** : il s'agit de l'aromatisation d'eau par divers condiments et légumes verts. Dans un litre d'eau froide, introduire des carottes coupées en rondelles fines, un oignon piqué de 4 clous de girofle, deux gousses d'ail, un bouquet garni, du gros sel et du poivre en grain. Le départ de la cuisson se fait toujours à l'eau froide et la cuisson doit être douce, au bout d'une heure et demi de cuisson le court bouillon est prêt à être passé au chinois. Il est possible de faire réduire le court bouillon sur un feu fort après son passage au chinois afin de concentrer ses arômes (l'eau s'évapore mais les arômes eux restent !) Le court bouillon est en général utilisé départ tiède ou départ froid dans les préparations culinaires, en fait il ne s'agit ni plus ni moins de le préparer à l'avance et de le laisser refroidir.

➢ **Le potage** : le potage est un excellent plat riche en eau et en légumes verts, donc en vitamines, **fibres** et sels minéraux. Pour épaissir votre potage vous pouvez le laisser réduire à découvert sur le feu ou bien vous pouvez additionner votre potage après mixage de fécule de pommes de terre ou de crème de riz, ou mieux de farine de blé complet, en respectant un dosage de 8% environ, c'est-à-dire 8g de fécule de pomme de terre ou de crème de riz par 100ml de potage environ. Dans cette optique, prendre un bol et y introduire une petite quantité de votre potage, puis avec le fouet introduire en pluie la fécule ou la crème de riz en remuant sans cesse jusqu'à l'homogénéisation de l'ensemble sans grumeau. Puis, toujours au fouet, introduire le contenu du bol dans le potage en remuant au fouet, puis réchauffer à nouveau le potage sur feu doux pendant 5 minutes tout en remuant sans cesse au fouet.

Conseils culinaires indispensables

- Si vous intégrez un ou des bouillons de légumes déshydratés dans vos plats, évitez de saler ce plat.
- **Limitez** l'utilisation des matières grasses autant que possible.
- Favorisez l'huile d'olive extra vierge.
- Privilégiez la farine de blé **complet** dans vos plats.
- Si vous utilisez des pâtes brisées ou feuilletées industrielles, n'oubliez pas qu'il en existe des allégées en matières grasses : **privilégiez-les** !
- Si des produits laitiers sont utilisés dans vos plats, privilégiez ceux qui sont **allégés en matières grasses** : lait écrémé ou demi-écrémé, fromage blanc maigre, fromage affiné allégé en matières grasses, crème fraîche allégée en matières grasses...
- Vous pouvez remplacer la crème fraîche par de la crème de soja (qui est dépourvue de cholestérol) et le lait par du lait de soja, de noisette ou d'amande nature.
- Le sucre est déconseillé : utilisez toujours **un édulcorant** à la place du sucre. Souvenez-vous que 10g d'édulcorant « sucre » autant que 100g de sucre !
- **Ne pas trop saler** vos plats.

Les produits laitiers

Les produits laitiers sont absolument indispensables pour leurs apports **en calcium**, représentant les 2/3 des besoins quotidiens recommandés en calcium, dans une alimentation équilibrée. Le calcium des produits laitiers possède une excellente assimilation intestinale par l'organisme. Ils sont absolument indispensables dans la prévention, mais également dans le traitement diététique de l'ostéoporose. Les produits laitiers sont également sources de vitamines du groupe B, de vitamines D et A, ainsi que de protéines de haute valeur biologique. Ils apportent également bon nombre de sels minéraux en plus que le calcium, cependant les produits laitiers **d'origine animale** sont **sources** de cholestérol et d'acides gras saturés en quantités non négligeables.

Un produit laitier à chaque repas **est absolument indispensable**. Ce conseil nutritionnel est également valable si vous souffrez de diabète pancréatique (dans ce cas, vous veillerez à ce que les produits laitiers de consommés **ne soient jamais sucrés**). En cas d'intolérance au lactose, évidemment, il vous faudra consommer des laits délactosés (enrichis en calcium si possible), ou bien des laits végétaux : laits de soja, d'amande, de noisette, d'avoine, de riz, de coco, de noix de cajou, d'épeautre, de seigle, de châtaigne... ainsi que les produits alimentaires qui en sont issus : yaourt de soja, fromage blanc de soja...

Concernant votre régime alimentaire associé à votre cardiopathie, une consommation hebdomadaire raisonnée de fromage affiné sera à appliquer. Les autres produits laitiers : yaourt, laits, fromage ultra frais... ne poseront pas de problème, à la condition qu'ils ne soient pas à base de lait entier. **Un produit laitier sera impérativement apporté à chaque repas**. Les plus courants sont : laits de mammifère (vache, chèvre, brebis...), yaourt, yogourt, petit suisse, fromage blanc, crème fraîche... ils seront au mieux non sucrés, avec ou sans fruit.

☝ **A savoir** : les laits de mammifères et les laits végétaux ont des effets **antagonistes** sur la cholestérolémie. En effet, les laits de mammifères apportent du cholestérol et des acides gras saturés, susceptibles **d'élever** la cholestérolémie et surtout la fraction LDL-Cholestérol. Au contraire, les laits végétaux et notamment le lait d'amande et celui de soja, **abaissent** la cholestérolémie et abaissent notamment la fraction LDL-Cholestérol.

1. A part les fromages affinés et la crème fraîche à 30% de matières grasses ou plus, les autres produits laitiers ne poseront pas de problème particulier pour leurs apports en cholestérol, ni en acides gras saturés. Cependant, vous privilégierez tout de même les produits laitiers maigres (fromage blanc allégé en matières grasses, yaourt à 0% de matière grasse...)
2. Plus la crème fraîche **est allégée en matières grasses, et plus celle-ci est allégée en cholestérol et en acides gras saturés** : consommez donc de la crème fraîche allégées à 15% de matières grasses (au maximum), **dans des quantités limitées et pas trop souvent.**
3. Pas plus de deux fois **environ** 30g de fromage affiné par semaine (des choix judicieux pourront être effectués à l'aide du tableau fourni à la page N°46). Ne pas en consommer au dîner ni au goûter.
4. Il existe des fromages affinés ayant une teneur en matières grasses inférieure ou égale à 5%. Vous pouvez consommer ces produits alimentaires si vous le souhaitez, car leurs teneurs en cholestérol et en acides gras saturés **sont très faibles**.
5. Le lait sera consommé écrémé ou demi-écrémé. Pas de lait entier (même si l'intérêt est plutôt minime).
6. Si vous consommez du lait au petit-déjeuner, et si vous souhaitez l'aromatiser de chocolat en poudre, cela ne posera pas de problème.
7. Le café au lait ne posera aucun problème.
8. Le lait chaud ou froid : cela ne change rien.
9. Il existe des yaourts riches en phytostérols. Privilégiez-les, en effet, dans le mot « phytostérols » il y a le mot « **stérols** » !

10. N'écoutez pas les inepties de dites sur les produits laitiers telles : ils sont dangereux car ils favorisent l'arthrose... rien n'est prouvé ! Une chose cependant est certaine : leur absence favorise l'ostéoporose et la fragilisation des dents !

11. Les laits végétaux que sont le lait de soja, le lait d'avoine, le lait de riz, le lait d'amande, le lait de noisette, le lait de châtaigne... sont **dépourvus** de lactose. Ils seront donc parfaitement consommables en cas d'intolérance au lactose par exemple.

12. Rappelez-vous, et c'est très important, que le lait d'amande possède de grandes vertus **hypocholestérolémiantes**. En effet, le lait d'amande est encore plus efficace que l'huile d'olive sur votre cholestérolémie ! **Idem pour le lait de soja**.

13. Les yaourts de soja, les fromages blancs de soja seront des produits alimentaires très intéressants. **Consommez prioritairement ceux qui sont enrichis en calcium**.

14. Les produits laitiers **d'origine animale** n'apportent pas de stérol, ni de vitamine C, ni de flavonoïde. Ils sont pauvres en oméga 3.

15. Les produits laitiers **d'origine végétale** apportent des stérols et pour certains des oméga 3 et des flavonoïdes.

16. Le lait d'amande, ainsi que le lait de soja, peuvent être très bénéfiquement utilisés dans vos desserts, pour remplacer le lait de mammifère couramment utilisé. Par exemple, du riz au lait d'amande, ou de la semoule au lait de soja, ou un flan pâtissier confectionné avec du lait de noisette...

17. Le lait de noisette est également un lait végétal **très intéressant** pour sa richesse en oméga 9, qui joue un rôle protecteur très important dans le cadre de votre hypercholestérolémie.

18. Les laits de mammifères et les laits végétaux ne sont pas des sources alimentaires importantes en vitamine E.

Ce paragraphe sur les produits laitiers brosse un portrait peu flatteur pour les laits de mammifère. Cependant, ne les dénigrez pas non plus. S'ils sont consommés **pauvres en matières grasses, ils ne vous poseront aucun problème au regard de votre athérosclérose**.

Composition nutritionnelle de quelques produits laitiers

Rappel : trois étoiles ★★★ signifient « **apports très élevés** ». Deux étoiles ★★ signifient « **apports élevés** ». Une étoile ★ signifie « **apports faibles** ». L'étoile vide ☆ signifie « **apports très faibles à nuls** ». « + » signifie le plus riche. « - » signifie le moins riche.

Les produits laitiers (d'origine animale).	Apports en cholestérol. (Ordonnés du plus riche +, vers le plus pauvre apport -).	Apports en calcium. (Non ordonnés).
Fromages affinés à pâte molle.	★★ +	★★★
Fromages affinés à pâte dure.	★★	★★★ +
Fromages affinés à pâte ferme.	★★	★★★
Fromages affinés à pâte persillée.	★★	★★★
Crème fraîche.*	★★	★★ −
Féta.*	★	★★★
Mozzarella.	★	★★★
Lait en poudre demi-écrémé.	★	★★★
Fromages fondus.	★	★★
Petit suisse.*	★	★★★
Fromage blanc.*	★	★★★
Lait en poudre écrémé. *	☆	★★★
Lait de vache.*	☆	★★★
Lait de brebis.*	☆	★★★
Yaourt aux fruits.	☆	★★★
Yaourt nature.*	☆	★★★
Lait de chèvre.	☆ −	★★★

Source : table de composition nutritionnelle des aliments CIQUAL édition 2013. (Résultats **adaptés**, afin de vous faciliter la compréhension des données). ***Produits au lait entier sans écrémage.**

Conseils culinaires indispensables

- Si des produits laitiers sont utilisés dans vos plats, privilégiez ceux qui sont **allégés en matières grasses** : lait écrémé ou demi-écrémé, fromage blanc maigre, fromage affiné allégé en matières grasses, crème fraîche allégée en matières grasses...
- Vous pouvez remplacer la crème fraîche par de la crème de soja (qui est dépourvue de cholestérol).
- Si vous souhaitez utiliser un lait végétal dans vos desserts, favorisez le lait d'amande, de noisette et le lait de soja nature.
- Privilégiez la farine de blé **complet** dans vos plats.
- Si vous utilisez des pâtes brisées ou feuilletées industrielles, n'oubliez pas qu'il en existe des allégées en matières grasses : **privilégiez-les** !
- Le sucre est déconseillé : utilisez toujours **un édulcorant** à la place du sucre. Souvenez-vous que 10g d'édulcorant « sucre » autant que 100g de sucre !

Les fruits

Les fruits sont d'importants apports en vitamines, notamment en vitamine C et en vitamine E, deux vitamines jouant un rôle protecteur important en cas d'athérosclérose. Ils sont sources également de sels minéraux, d'eau et sont riches en fibres alimentaires végétales. Un fruit frais cru ou cuit, sec, ou des fruits oléagineux, est/sont indispensable(s) à chaque repas. Les fruits peuvent être consommés sous forme de compote, sec, frais, au sirop... Les confitures de fruits ne seront pas à considérer comme des apports en fruits, mais **comme des apports en produits sucrés**. Si vous souffrez de diabète pancréatique, les fruits seront toujours consommés en fin de repas.

Concernant votre régime alimentaire associé à votre cardiopathie, aucun fruit ne posera de problème (sauf cas particuliers). En effet, leur teneur en cholestérol est **naturellement nulle**, celle en acides gras saturés **négligeable** (sauf cas particuliers telle la noix de coco par exemple). **Ils sont riches en flavonoïdes et en stérols**, et pour les fruits oléagineux (noix, amandes, pistaches...) ils sont également **très riches en oméga 3, mais également en vitamine E**. Les compotes de fruits, les jus de fruits, les fruits secs, les salades de fruits, ne poseront également aucun problème. Les fruits frais sont les meilleures sources alimentaires en vitamine C.

☞ **A savoir** : boire du jus d'orange fraîchement pressé ou du jus d'orange en brique 100% pur jus **régulièrement**, joue un rôle très bénéfique sur la cholestérolémie. En effet, cela augmente la fraction HDL-Cholestérol au profit d'un abaissement du LDL-Cholestérol. C'est en grande partie dû à leur apport élevé en vitamine C.

1. Les fruits peuvent être consommés crus ou cuits (cuits au four, en papillote, en compote, au four micro-ondes...), sous forme de jus de fruits 100% pur jus **avec pulpe**, de tarte, dans des yaourts, fromage blanc...

2. Les fruits rouges (fraise, groseille, framboise...) jouent un rôle très intéressant au regard de l'hypercholestérolémie et donc, de l'athérosclérose.

3. La personne diabétique évitera le raisin et la banane trop mûre.

4. Il est vivement conseillé de favoriser la consommation des fruits frais **cru**s (**cru**dités), au profit des fruits **cui**ts (**cui**dités). Cependant, ne vous privez pas non plus de consommer des fruits cuits (compotes de fruits, fruits cuits au four...)

5. Si vous pelez les fruits avant leur consommation, pelez-les juste avant de les consommer, ainsi, l'oxygène de l'air n'aura pas suffisamment de temps pour détruire une trop grande quantité de la vitamine C provenant du fruit pelé.

6. Favorisez la consommation de fruits bio. Ainsi vous pourrez les consommer avec leur peau, ce qui est beaucoup plus intéressant sur un plan nutritionnel global.

7. Les jus de fruits seront toujours consommés à « **100% pur jus de fruits pressés** ». Ils seront, au mieux, consommés **avec leur pulpe**. (En effet, la pulpe des fruits est très riche en fibres).

8. **Ne confondez pas** « jus de fruits 100% fruits pressés », (celui que je vous conseille de consommer **avec modération**, car ils sont relativement riches en sucre), avec « les nectars de fruits », ou les « à base de concentré de jus de fruits », qui sont **enrichis** en sucre, et que je vous déconseille de consommer.

9. Si en fin de repas, vous ressentez que la satiété n'est pas à son niveau optimal, finissez votre repas avec une banane, elle jouera un excellent rôle de « calage ».

10. Consommez des fruits secs tels des pruneaux, des abricots secs, des dattes, des figues... Leur richesse en fibres en fait d'excellents alliés pour votre transit intestinal, mais également contre votre hypercholestérolémie.

11. Souvenez-vous de ce qui fut dit à propos de la richesse en fibres des légumes verts par rapport à l'hypercholestérolémie. C'est pareil pour les fruits : **leur richesse en fibres alimentaires végétales contribue à abaisser l'absorption intestinale du cholestérol alimentaire de 10 à 15%.**

12. La pomme est le fruit **à privilégier** en cas d'hypercholestérolémie. Sa richesse en fibres et en flavonoïdes, en fait le meilleur des fruits dans votre cas. Elle est pauvre en calorie, joue un rôle coupe-faim naturel... **Toutes les études scientifiques démontrent qu'elle protège efficacement des maladies cardiovasculaires**.

13. Consommez des pommes cuites, crues, avec leur peau (c'est mieux), sous forme de compote, dans vos plats avec votre rôti, votre poisson, dans vos salades, avec le boudin blanc...

14. Les noix sont très riches en oméga 3. Cela en fait des aliments (fruits oléagineux), **extrêmement intéressants** pour la lutte contre l'athérosclérose. Elles se marient très bien avec la frisée. Consommez-en !

15. Les noix, amandes, noisettes, pistaches, noix de cajou... sont des graines oléagineuses qui sont **extrêmement intéressantes** sur le plan nutritionnel, pour vous protéger des méfaits d'un excès de cholestérol sanguin. Incorporez-les dans vos salades, yaourts... En effet, elles sont riches en fibres, très riches en oméga 3 (surtout les noix), riches en stérols, en vitamine E et en flavonoïdes. **On a ainsi pu démontrer qu'une consommation régulière de noix pendant quatre semaines, faisait baisser le mauvais cholestérol (LDL) de 10 à 15%**.

16. Attention **à ne pas consommer** d'arachides et des cacahuètes. En effet, celles-ci sont trop riches en **acide gras saturés**.

17. La noix de coco sera **à éviter** également, à cause de sa richesse en acides gras saturés (souvenez-vous de l'huile de coprah, qui est de l'huile de noix de coco, et qui est tout aussi problématique que l'huile de palme...)

18. Les agrumes (orange, clémentine, kiwi, mandarine, pamplemousse...) et le raisin, sont les fruits **les plus riches en flavonoïdes et en vitamine C. Les jus d'agrumes au sein du petit-déjeuner seront donc à privilégier**.

19. Je vous conseille très vivement la consommation régulière et journalière de graines de sésame, dans vos yaourts, fromage blanc, salades... En effet, elles sont non seulement les meilleures sources alimentaires en calcium, **mais elles sont également très riches en stérols**.

Conseils culinaires indispensables

- Tous les fruits sont bons ! Mais gardez une préférence pour les fruits secs, oléagineux (notamment les noix) et les pommes.
- Utilisez autant que possible de la farine de blé complet dans vos desserts fruités.
- Si vous utilisez des pâtes brisées ou feuilletées industrielles, n'oubliez pas qu'il en existe des allégées en matières grasses : **privilégiez-les** !
- Si des produits laitiers sont utilisés dans vos plats, privilégiez ceux qui sont **allégés en matières grasses** : lait écrémé ou demi-écrémé, fromage blanc maigre, fromage affiné allégé en matières grasses, crème fraîche allégée en matières grasses...
- Vous pouvez remplacer la crème fraîche par de la crème de soja (qui est dépourvue de cholestérol).
- Si vous souhaitez utiliser un lait végétal dans vos desserts, favorisez le lait d'amande, de noisette et le lait de soja nature.
- Le sucre est déconseillé : utilisez toujours **un édulcorant** à la place du sucre. Souvenez-vous que 10g d'édulcorant « sucre » autant que 100g de sucre !

**Vous souhaitez bénéficier
de mes services diététiques en ligne ?**

- Afin d'approfondir votre prise en charge diététique
associée à un coaching personnalisé.

- Où bien pour me poser des questions
n'ayant malheureusement pas de réponse
au sein de cet ouvrage ?

Rendez vous alors sur mon site Internet

www.cedricmenarddieteticien.com

puis cliquez sur la bannière
présente sur la page d'accueil du site intitulée :

« Bilan diététique, suivi, coaching... »

Prise en charge financière possible par votre mutuelle !
(voir modalités avec votre complémentaire santé)